D1502217

# Sous le parapluie

Catherine Buquet • Marion Arbona

À Anne Da Cunha-Guillegault
et Yves Nadon, sans qui ce livre
n'aurait jamais existé
C. B. et M. A.

Les 4 coups

Maudit soit
ce temps gris !

Maudites soient
la pluie et cette foule,
qui le ralentit !

Sous son parapluie,
il avance à grandes enjambées.
Sous son parapluie, il avance
et n'en finit pas de grincher.

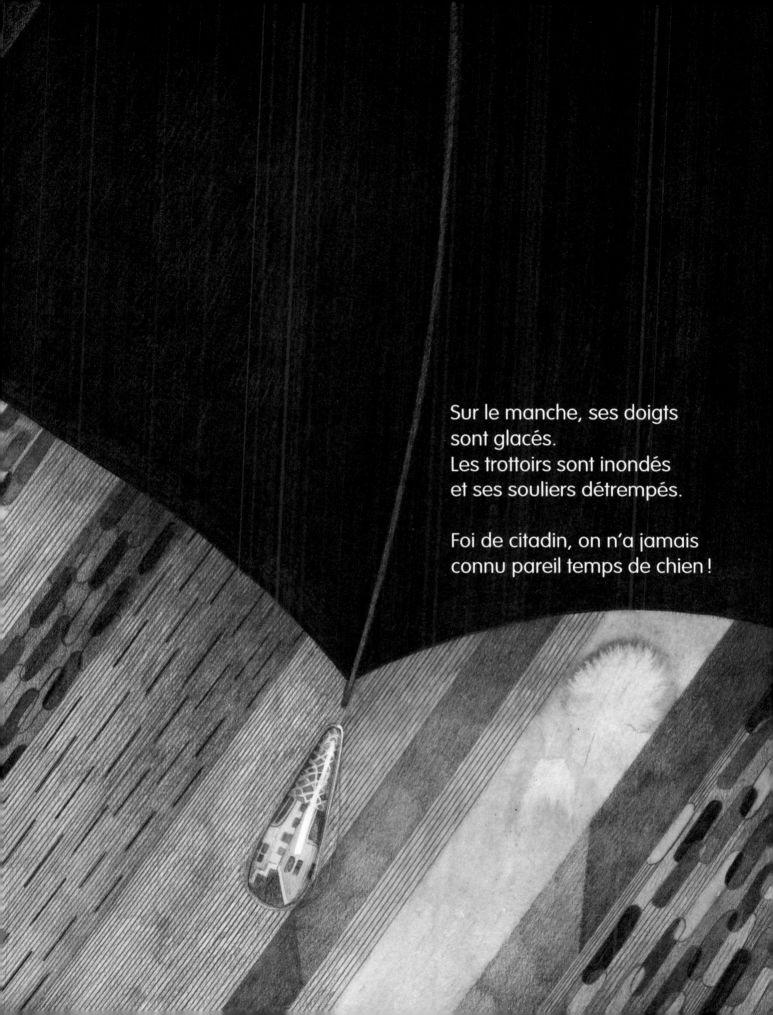

Sur le manche, ses doigts
sont glacés.
Les trottoirs sont inondés
et ses souliers détrempés.

Foi de citadin, on n'a jamais
connu pareil temps de chien !

Le vent vient s'en mêler.
Pour lutter, il doit marcher courbé.

Mais c'est un vrai cauchemar !
En plus d'être mouillé,
il va être en retard !

L'homme qui fulmine longe
sans la voir une vitrine.
C'est une pâtisserie,
et sous l'auvent, un petit
garçon attend.

À l'abri de la pluie,
tranquillement, il regarde
ce qu'on propose aux passants.

Sur des dentelles de papier,
la crème déborde, les ganaches brillent.
L'enfant a les yeux
qui s'écarquillent.

Tandis que le vent souffle en
tempête, le petit garçon lit les
étiquettes. Il mémorise les noms :
religieuse, opéra, macaron...

Sur l'homme, une bourrasque fond soudain.
Elle lui arrache le parapluie des mains.

Poussé par le vent, l'objet roule aux pieds de l'enfant ;
il le ramasse et le rend à celui qui le rejoint en courant.

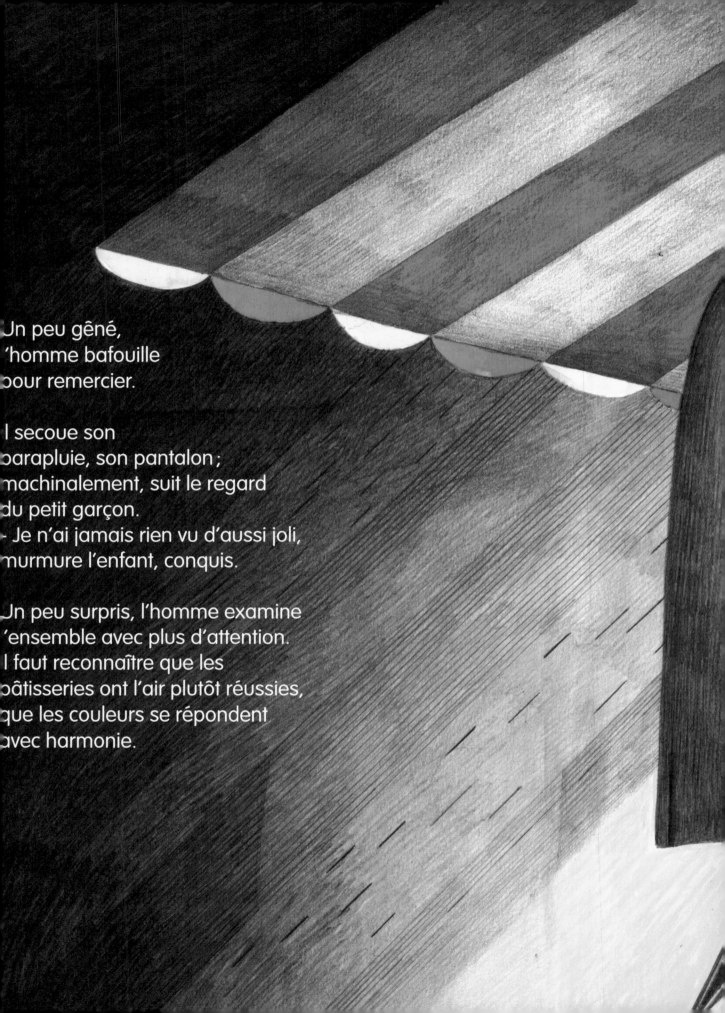

Un peu gêné,
l'homme bafouille
pour remercier.

Il secoue son
parapluie, son pantalon ;
machinalement, suit le regard
du petit garçon.
– Je n'ai jamais rien vu d'aussi joli,
murmure l'enfant, conquis.

Un peu surpris, l'homme examine
l'ensemble avec plus d'attention.
Il faut reconnaître que les
pâtisseries ont l'air plutôt réussies,
que les couleurs se répondent
avec harmonie.

L'homme hésite un peu, confie au petit garçon
son parapluie et entre dans la pâtisserie.
Il en revient une tartelette à la main : rhubarbe,
framboises et crumble au pralin.

Les joues de l'enfant se colorent légèrement.
Il prend d'un air gourmand le présent qu'on
lui tend.

L'homme le regarde en souriant.

De gestes lents, l'enfant rabat
la barquette, coupe la tartelette
et lève vers l'homme la plus belle
moitié, celle où les fruits n'ont
pas coulé.

Le temps semble arrêté.

Il pleut sur la ville. Le ciel
est bas, les rues fourmillent.
Mais pour l'homme et
l'enfant, en cet instant,
rien de tout cela
n'est important.

Nous remercions le Conseil des arts du Canada de l'aide accordée à notre programme de publication et la SODEC pour son appui financier en vertu du Programme d'aide aux entreprises du livre et de l'édition spécialisée.

Nous reconnaissons l'aide financière du gouvernement du Canada par l'entremise du Fonds du livre du Canada (FLC) pour nos activités d'édition.

Gouvernement du Québec – Programme de crédit d'impôt pour l'édition de livres – Gestion SODEC

Les Éditions Les 400 coups sont membres de l'ANEL

## Sous le parapluie

a été publié sous
la direction de Rhéa Dufresne.

Design graphique : Bruno Ricca
Révision : Marie Lamarre
Correction : Fleur Neesham

© 2016 Catherine Buquet, Marion Arbona
et les Éditions Les 400 coups
Montréal (Québec) Canada

Dépôt légal – 1er trimestre 2016
Bibliothèque et Archives nationales du Québec
Bibliothèque et Archives Canada

ISBN 978-2-89540-667-9

Loi 49-956 du 16 juillet 1949 sur les publications destinées à la jeunesse.

Dès 5 ans.

Catalogage avant publication de Bibliothèque et Archives nationales du Québec et Bibliothèque et Archives Canada

Buquet, Catherine
Sous le parapluie
Pour enfants de 5 ans et plus.
ISBN 978-2-89540-667-9
I. Arbona, Marion, 1982-   . II. Titre.

PZ23.B86So 2016   j843'.92   C2015-942118-7

Financé par le gouvernement du Canada
Funded by the Government of Canada   |   Canada